★この作品《さくひん》は、小説《しょうせつ》『一夢庵風流記《いちむあんふうりゅうき》』(集英社文庫)をもとに、少年漫画誌《しょうねんまんがし》向《む》けにアレンジしたものです。

JUMP COMICS

花の慶次《はなのけいじ》

一雲《くも》のかなたに一 7

風斎《ふうさい》と月斎《げつさい》の巻《まき》

「脚本」麻生未央

原作 隆慶一郎

漫画 原哲夫

人物紹介
岩兵衛
いわべえ
村長
むらおさ
前田利家
まえだとしいえ
おふう
前田慶次
まえだけいじ
捨丸
すてまる

花の慶次

―雲のかなたに―

前巻までのあらすじ

「傾奇者《かぶきもの》」――。「傾《かぶ》く」とは、異風《いふう》の形《かたち》を好《この》み、異《い》様《よう》な振《ふ》る舞《ま》いや突飛《とっぴ》な行動《こうどう》を愛《あい》することをさす。そして、真《しん》の傾奇者《かぶきもの》は己《おのれ》を美《うつく》しゅうするために命《いのち》を賭《と》した。時は戦国時代末期《せんごくじだいまっき》、ここに天下《てんか》一の傾奇者《かぶきもの》がいた。その名《な》は、前田慶次《まえだけいじ》…!!

慶次《けいじ》は、織田信長《おだのぶなが》の軍団長《ぐんだんちょう》・滝川一益《たきがわかずます》の従弟《いとこ》・益《ます》氏《うじ》の次男《じなん》で、前田家《まえだけ》に養子《ようし》にやられた。前田利家《まえだとしいえ》の甥《おい》にあたる慶次《けいじ》は、すさまじいいくさ人《にん》ぶりと、その傾奇者《かぶきもの》ぶりで、叔父《おじ》・利家《としいえ》たちを煙《けむ》にまいていた。

豊臣秀吉《とよとみひでよし》に忠義《ちゅうぎ》を尽《つ》くす利家《としいえ》は、慶次《けいじ》の傾《かぶ》きぶりが秀吉《ひでよし》を刺激《しげき》することを恐《おそ》れ、慶次《けいじ》を抑《おさ》えつけようとするが、慶次《けいじ》にとっては、どこ吹《ふ》く風《かぜ》。そして、ついに慶次《けいじ》が秀吉《ひでよし》に謁見《えっけん》することとなったが、その傾《かぶ》きぶりに秀吉《ひでよし》の心《こころ》さえも動《うご》かされた。かくして慶次《けいじ》は秀吉《ひでよし》より、場所《ばしょ》、相手《あいて》を問《と》わず自由《じゆう》にふるまってよいという「傾奇御免《かぶきごめん》」の御意《ぎょい》を得《え》た。天下《てんか》に響《ひび》く慶次《けいじ》の傾《かぶ》きぶりは、上杉景勝《うえすぎかげかつ》の側小姓《そばこしょう》たちの陳腐《ちんぷ》ないさかいを諫《いさ》め、上杉家《うえすぎけ》にいくさ人《にん》の心意気《こころいき》を甦《よみがえ》らせた!

花《はな》の慶次《けいじ》
—雲《くも》のかなたに—
第《だい》七巻《かん》

目《もく》次《じ》

花の慶次《はなのけいじ》
—雲のかなたに—
鬼《おに》の子孫《しそん》の巻《まき》

……
ふ〜〜〜
まだまだ
暑《あっ》いな〜〜〜
おい
おふう
手拭《てぬぐい》
取《と》って
くれ
ぴくん
ん？
どうした
んだ
おふう

お
鬼《おに》や
鬼《おに》がのぞいてる
ああ!?
な
なななんだ
お
おい
う
熱《あつ》い!!
すごい熱《ねつ》だ
お
鬼《おに》や
鬼《おに》が来《く》る
慶次《けいじ》に知らせな……
慶次《けいじ》に……

上杉《うえすぎ》家《け》京《きょう》屋敷《やしき》
兼続《かねつぐ》の居室《きょしつ》
慶次《けいじ》は先日《せんじつ》の上杉家《うえすぎけ》の者達《ものたち》との果《はた》し合《あ》いの一件《けん》で、兼続《かねつぐ》にぞっこん惚《ほ》れた。
しゃか しゃか
惚《ほ》れたとなったら一途《いちず》になりすぎるのが悪《わる》い癖《くせ》である。あれから慶次《けいじ》は三日《か》とあけず兼続《かねつぐ》の屋敷《やしき》に通《かよ》い続《つづ》けている。

どうだ？
うまいか？
にこっ
はい…
あなたも変《かわ》った方《かた》
え
肝心《かんじん》の兄がいないのに
このような所《ところ》で 悠然《ゆうぜん》と茶《ちゃ》をたてて退屈《たいくつ》なさる様子《ようす》もない
なんのなんの
兼続殿《かねつぐどの》がおらぬとも書物《しょもつ》があるしそれに
史記
おなつ殿《どの》がいる
!!
ふっ…不思議《ふしぎ》な方《かた》
あなたは知らぬうちに家族《かぞく》の一員《いん》になってしまう名人なのですね

………それは褒《ほ》められておるのかのう？
ポリ ポリ
ふふっ
わっはははっ
ほほほほほ
家臣達《かしんたち》も申《もう》しておりましたこの屋敷《やしき》はまるで慶次殿《けいじどの》の屋敷《やしき》のようだと…
スッ
お兄様《にいさま》どこにいらしたの？
あっ

2

慶次殿《けいじどの》 庭《にわ》にでも出ぬか?
慶次《けいじ》と兼続《かねつぐ》はこの頃《ころ》になると一緒《いっしょ》にいても終日《しゅうじつ》一言《ひとこと》も言葉《ことば》を交《かわ》さないことがしばしばだった。
しかし、それで充分《じゅうぶん》なのだ。二人《ふたり》とも、相手《あいて》がそこに居《い》るということだけで心が満《み》たされ平安《へいあん》なのだ。
尾《つ》けられている

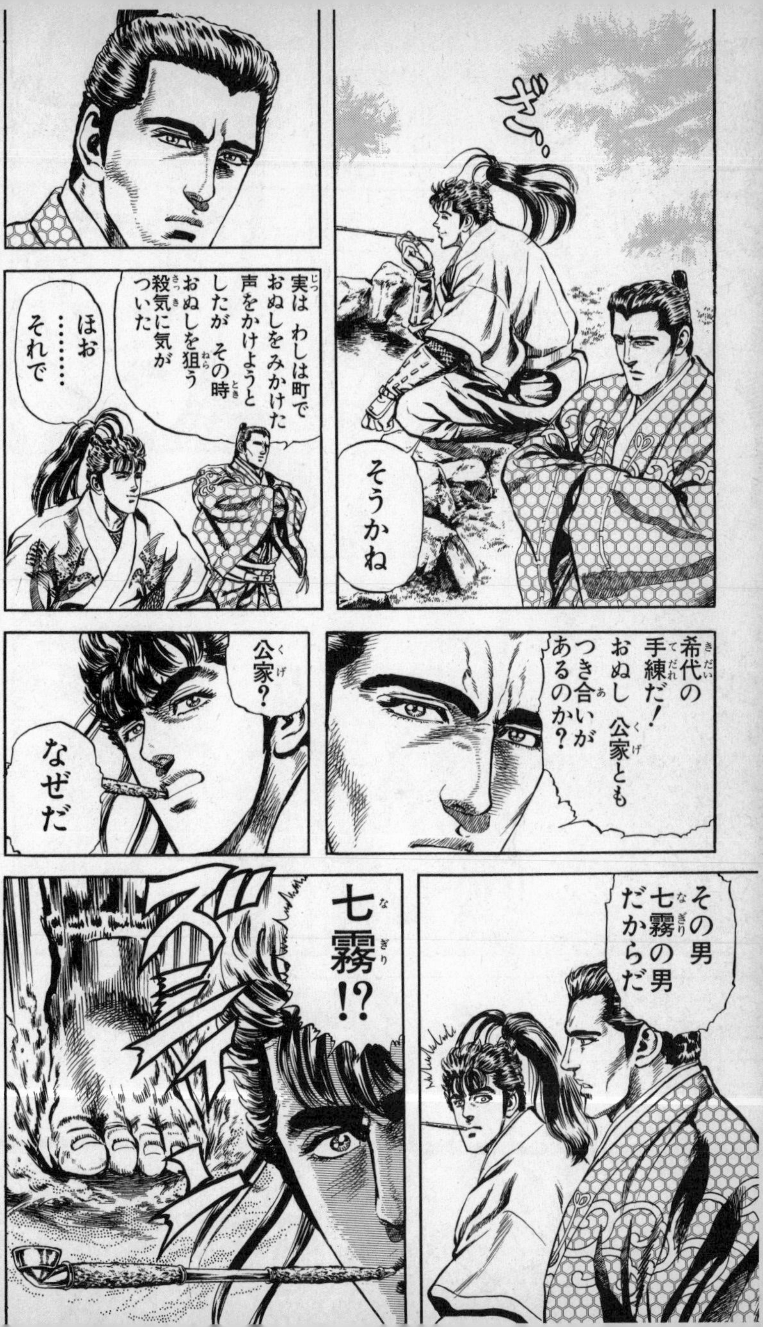

ざ…
そうかね
実《じつ》は わしは町で おぬしをみかけた 声をかけようと したが その時《とき》 おぬしを狙《ねら》う 殺気《さっき》に気が ついた
ほお……… それで
希代《きだい》の 手練《てだれ》だ! おぬし 公家《くげ》とも つき合《あ》いが あるのか?
公家《くげ》?
なぜだ
その男 七《な》霧《ぎり》の男 だからだ
七《な》霧《ぎり》!?
ズ

ミシッ
ザアアアッ
ズシィン
ズシィン
もともと 七霧《なぎり》の里《さと》の男たちは 山から切り出した木を 川下《かわしも》まで運《はこ》び そのために使《つか》った舟を 川上《かわかみ》まで運《はこ》びあげるのを 生業《なりわい》とした 男たちだ。 そのため 左肩《ひだりかた》の 肉《にく》が異常《いじょう》に盛《も》り上《あ》って いる。
そして恐《おそ》るべき巨軀《きょく》の者《もの》が多《おお》く 禁裏《きんり》の 警護役《けいごやく》を代々《だいだい》命《めい》じられて きた程《ほど》の者《もの》たちだ
その男も 左肩《ひだりかた》の肉《にく》が 盛《も》り上《あ》って いたのか

うむ
ただ あの者《もの》たちの真実《しんじつ》の姿《すがた》は全《まった》く別《べつ》のものではないかという噂《うわさ》がある
それは!?
天皇《てんのう》の隠密《おんみつ》!
なに
いや これは わしの当《あ》て推量《すいりょう》でしかないがな
会《あ》ってみたいな
お おぬし そんな奴《やつ》らに命《いのち》を狙《ねら》われておるのだぞ
慶次《けいじ》の目が子供《こども》のように輝《かがや》いている。変《かわ》った人間《にんげん》が好《す》きなのである。
面白《おもしろ》いじゃないか
ふっ
なんて男だ
ただ 気をつけることだ 奴《やつ》らは鬼《おに》の子孫《しそん》とも言《い》われる者《もの》たちだからな

ほう！
鬼《おに》の子孫《しそん》か
ザッ
パ・・
ザッ
パ！
ぞくん
どうやら
鬼《おに》は
おれを
まってて
くれた
ようだ
ザッ
パ・・
なんだ
おまえも
来《き》てたのか
へ
へい
スッ
ヘッヘッヘ・・
カタ
カタ
旦那《だんな》
まずい
ですよ
カタ
カタ
なにを
震《ふる》えているんだ
捨丸《すてまる》

ま まだ会《あ》った事《こと》も
ねえ奴《やつ》に
脅《おび》えるなんて
なっちゃねえや
カタ カタ…
カタカタ カタ…
ま まあ
あっしゃが
ちょいと
小手調《こてしら》べして
みましょ
ジリ ジリ
ザッ ザッ
ピク ピク
チラ チラ
う
うわあ〜〜〜〜!!

ガシャッ!!
ガキン
あ
ぬ〜っ
ああ
す 素手《すで》で
手裏剣《しゅりけん》を
はらいやがった
ズシーン
ズシン
ゴクン

おお
ひょあ

ゴ
ザ
ザ

おお
ひょわ
むん

ブン
ベキ
ペキ
コキコキッ
なに
ビュー
関節《かんせつ》をなんてやつだ…
コキ
コキー
スタ
ガカッ
スパッ
ダダダダ

ゲエッ
な…
なんだ!!
ボコッ
あんなこと
よっぽどの
脚力《きゃくりょく》と速《はや》さが
なきゃできねえ!!
へえ〜〜
初《はじ》めて刀《かたな》で
きられた
にか〜っ
やるね
鬼《おに》は
笑《わら》わん方《ほう》が
いいな

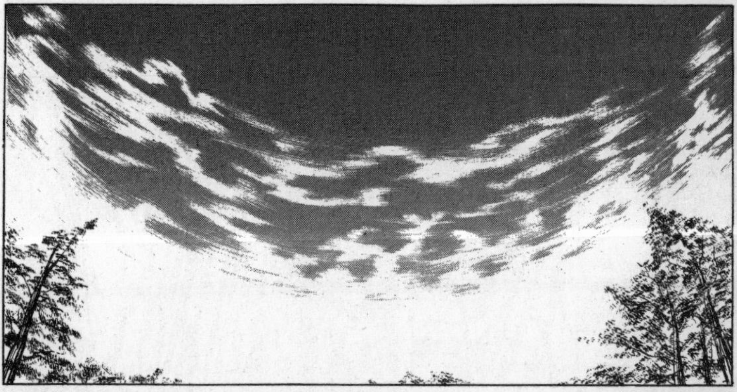

笑《わら》う鬼《おに》！の巻《まき》
か──
か──
うか～～～っ
くる
くる
ケラ～…
ケラ～…
くる…
くる…
あ
!?

笑《わら》う鬼《おに》！の巻《まき》

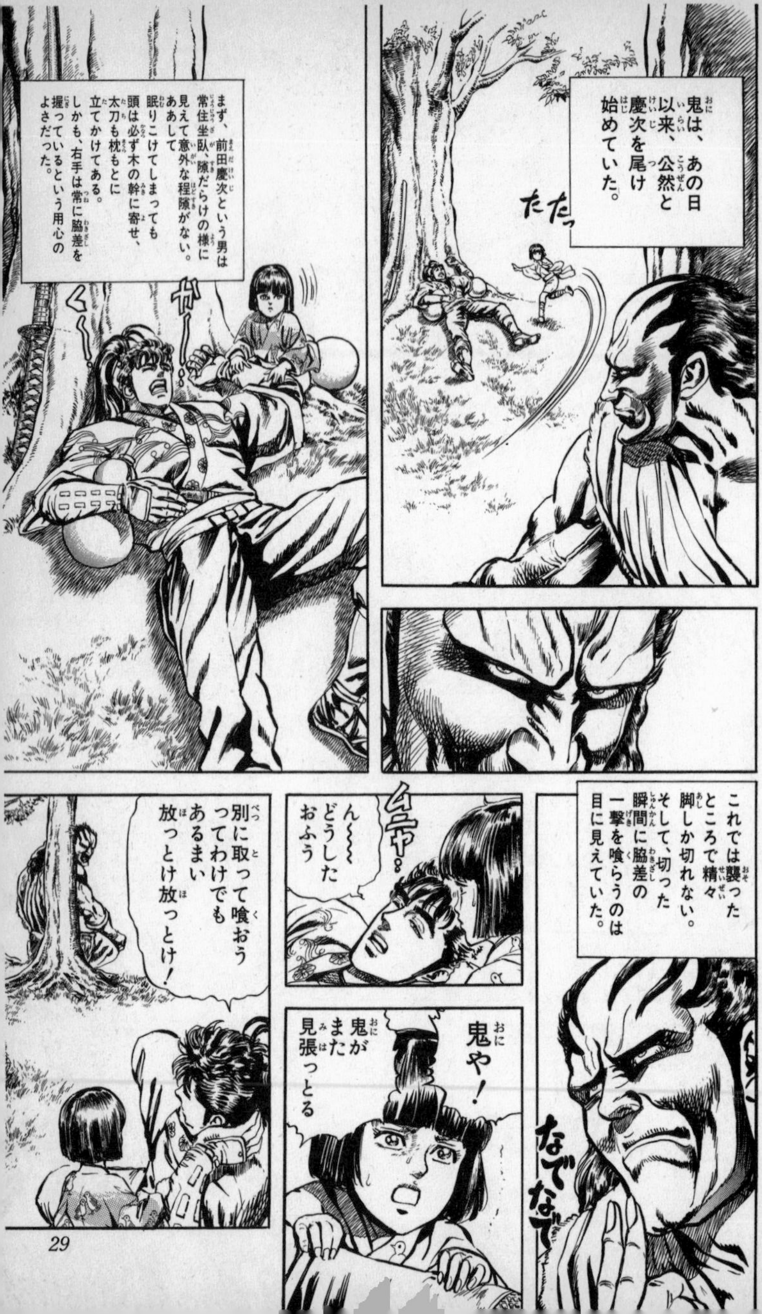
鬼《おに》は、あの日以来《いらい》、公然《こうぜん》と慶次《けいじ》を尾《つ》け始《はじ》めていた。
たたっ
まず、前田慶次《まえだけいじ》という男は常住坐臥《じょうじゅうざが》、隙《すき》だらけの様《よう》に見えて意外《いがい》な程隙《ほどすき》がない。ああして眠《ねむ》りこけてしまっても頭《あたま》は必《かなら》ず木の幹《みき》に寄せ、太刀《たち》も枕《まくら》もとに立《た》てかけてある。しかも、右手は常《つね》に脇差《わきざし》を握《にぎ》っているという用心のよさだった。
があ〜〜
ぐ〜
これでは襲《おそ》ったところで精々《せいぜい》脚《あし》しか切れない。そして、切った瞬間《しゅんかん》に脇差《わきざし》の一撃《いちげき》を喰《く》らうのは目に見えていた。
なでなで
ムニャ。
ん〜〜どうしたおふう
鬼《おに》や！
鬼《おに》がまた見張《みは》っとる
別《べつ》に取《と》って喰《く》おうってわけでもあるまい 放《ほ》っとけ放《ほ》っとけ！

慶次《けいじ》は
毎日《まいにち》のように
出かけていく。
パパ
パッカ
…………
だが、行《ゆ》き先《さき》は
常《つね》に不明《ふめい》
だった。
本人自身《ほんにんじしん》にも
判《わか》っていないに
違《ちが》いない。
だから、
唐突《とうとつ》に道を
変《か》えるし
後戻《あともど》りして
来《く》ることも
しばしばだった。
クルッ
サササ
鬼《おに》は、この齢《とし》になる
まで、こんな気紛《きまぐ》れを
見たことがなかった。
何《なに》しろ次《つぎ》の瞬間《しゅんかん》に
何を仕出《しで》かすか全《まった》く
予測《よそく》がつかないので
ある。
ふ〜〜!
なにやら
尾《つ》けているのが
バカらしくなって
きたわい

そして、今日《きょう》の慶次《けいじ》は風呂屋《ふろや》へ入《はい》っていった。
嫌《いや》な所《とこ》に入《はい》ったな
わしをまいて逃《に》げ出《だ》す気か……
パシャ
アッ
当時《とうじ》、風呂屋《ふろや》といえば蒸《む》し風呂《ぶろ》の事《こと》である。
ふ〜〜〜
今日《こんにち》でいうサウナ風呂《ぶろ》に近いものだった。
あ…あのお客《きゃく》さん困《こま》ります
垢《あか》かき女《め》
ニヤ…
まあいいじゃないか
カラ

ぬっ
ひ!!
おお…鬼《おに》!!
すっ
どいてな
ちっ
やはり逃《に》げられたか!!
ぴくっ
そんな所《とこ》に立ってないで座《すわ》ったらどうだ
サー…!!
な…なんだいたのか

な…なんと 褌《ふんどし》に 大脇差《おおわきざし》を!!
鬼《おに》は かろうじて 動揺《どうよう》を隠《かく》した。
し…しまった はめられた! これは ここに 誘《さそ》い込む為《ため》の罠《わな》か!!
ちら…
考えられない事《こと》である。 こんな真似《まね》をしたら 大脇差《おおわきざし》の後《あと》の手入《てい》れが 大変《たいへん》である。 よほど危急《ききゅう》の時でない 限《かぎ》り こんなことをする 理由《りゆう》がないのである。 つまり、鬼《おに》を斬《き》る つもりなのだ!!
この前の一戦《せん》で 素手《すで》ではかなわぬ ことを知り、 鬼《おに》は手拭《てぬぐ》いの下に 棒手裏剣《ぼうしゅりけん》を用意《ようい》 していた。だが これも誤算《ごさん》だった。
棒手裏剣《ぼうしゅりけん》では 得物《えもの》の差が 大《おお》きすぎる。 勝負《しょうぶ》に出たところで 結果《けっか》は目にみえて いた。

ドスッ
ほお〜
まじ…まじ…
成程《なるほど》こうして見るとゴツイ左肩《ひだりかた》だな
さすがは七霧《なぎり》の男だ
くく…やはり見破《みやぶ》られていたか!!
ピクッ

ぐ!!
ぱさっ
不粋《ぶすい》な物《もの》は
甕《かめ》に捨《す》てろ
慶次《けいじ》の声に
殺気《さっき》はない。
もっとも
殺気《さっき》があれば
手拭《てぬぐ》いでは
打《う》つまい。
大脇差《おおわきざし》の一閃《せん》で
鬼《おに》の首は
飛《と》んだはずだ。
ピッ

チャポォン
ふ〜〜〜
大体《だいたい》だな〜〜〜
風呂《ふろ》の中にまで凶器《きょうき》を持《も》って入《はい》るとはつまらんな
ごし
品《ひん》がない
何《なに》をいってやがる
自分《じぶん》こそ大脇差《おおわきざし》を差《さ》したままじゃないか!
品《ひん》がないが聞《あき》いて呆《あき》れる!!
お手前《てまえ》の用心深《ようじんぶか》さには及《およ》びません
…
とんとん
ああこれか?
これはなちょっとした悪戯《いたずら》だ
お主《ぬし》への用心《ようじん》じゃない
悪戯《いたずら》?
…
にたり
今《いま》に判《わか》る
ドドドドドドド
ワーワーギャ
ヒャバババーバ
…

キラッ
ほーーら
来《き》たぞ
一体《いったい》
何《なに》をする
つもりなんだ
パシーン
へっへっへ
ドャドャッ
なんてハデな
褌《ふんどし》をしめて
るんだ
紫《むらさき》紺《こん》 金色《きんいろ》
のまである
さて
どこにするか
ズガッ

ドーン
わっ!!
フッヘッヘ
ザッ
おらどけどけ———い!!
痛《いた》いな!!
なにを
ドカッ
おれたちが使《つか》うんだよ出ろ!おら
ドドドド
ヒャハハハハハ～
早くしめろ汗《あせ》が引いてしまう!
ピクッ

誰《だれ》に口をきいておる気か!!
ガアッ
あ〜〜〜?
しい〜〜ん
へ…やろうおれたちの傾《かぶ》いたなりを見たら腰《こし》ぬかすぜ
どれこの褌《ふんどし》でもみせてくれるか
ポュ
おらおら〜〜〜今なんて言《い》ったんだあ?おら〜〜〜
ドカドカッ
サー…!!

スォ
う…
で…でけえ!!
ド
くっ
こ…このヤロー
い!?
ジロ

わ…脇差《わきざし》をさしてるぞ!!
う!!
ガタッ
や…やろ―っ!!
ドドドドド
まさか、この中であの六人相手《あいて》に喧嘩《けんか》を始《はじ》めるまい。気ではあるまい。第一《だい》、それでは悪戯《いたずら》にも何《なに》もなりはしない。
スーッ
パンッ
パチッ
サッ
スッ

ズガ!!
ドカリ
ガシャ
ごん
どし…
すす!
じ〜〜
ユラ〜〜
ボワ〜〜
ふう——
はあはあ
ダラダラ…
フム…
ふー…

サッ
ん？
あ！
は！
ははは…
ひっ!!

傾奇者《かぶきもの》たちは動《うご》かない。いや正確《せいかく》にいうと動《うご》けなかった。動《うご》いた者《もの》が先《さき》に殺《や》られる。一同、鬼《おに》までもそう確信《かくしん》する程《ほど》の凄絶《せいぜつ》な抜刀《ばっとう》ぶりだったのである。
や…やるのか…
ああ
がりっ
な…なにィ!?

ん!?
慶次《けいじ》は、なんと悠然《ゆうぜん》と白刃《しらは》を握《にぎ》り腹《はら》をこすり始《はじ》めた。
ああ
あれは!!
た…竹光《たけみつ》!!
なんと大脇差《おおわきざし》はみせかけだった。刀身《とうしん》は垢《あか》おとしの竹光《たけみつ》だったのである。
ガリ ガリ
うぐ うぐう
ん?
おや〜〜〜…
あ〜〜あ なんて こった こんなとこで 脇差《わきざし》なんか さして
それでは 鞘《さや》の中も 柄糸《つかいと》も腐《くさ》って ボロボロに なるぞ もったいない なあ〜〜
か〜〜 くく…
ピクピク
こ…こいつ なんて事《こと》を!!
竹光相手《たけみつあいて》に喧嘩《けんか》を売《う》っては、それこそ「傾奇者《かぶきもの》」の名折《なお》れである。本物《ほんもの》の脇差《わきざ》しを台《だい》なしにしたのは彼等《かれら》の臆病《おくびょう》のなせるわざなのだ。
ワナ ワナ
ブルブル

お…そ…
そうで
あった
ひくひく
拙者《せっしゃ》と
したことが
脇差《わきざし》を差《さ》して
来《き》てしまった
ははは…
さてさて
もはや
去《いぬ》るか…
ガラッ
ゾロゾロ
おお!ちと
きのうの酒《さけ》が
こたえた
ようじゃ!!
はは
もっとも
もっとも!!
ガラ
ガラ…
は…は…
……
しーん
ボリ
ボリ
ぶわあっ
ははは!!
くくく
ぷくく

影稼業《かげかぎょう》が骨《ほね》まで
しみついた鬼《おに》が不覚《ふかく》にも
笑《わら》った。この世《よ》も満更《まんざら》
捨《す》てたもんじゃない。
笑《わら》いながら鬼《おに》は、そう
思ってしまった。
…
大《だい》の男がこんなことをするかね!!
ははは
ほう…
よう笑《わら》う鬼《おに》じゃ
は
…
鬼《おに》ではない
岩兵衛《いわべえ》じゃ!!

あっははは!
ハハハ
ガハハ
この頃《ころ》の風呂屋《ふろや》は大方《おおかた》二階《かい》が座敷《ざしき》になっていて、酒《さけ》も飲《の》めれば女も抱《だ》けた。
あははは
ホホホ
あはは
あははははは
悲運《ひうん》の姫君《ひめぎみ》の巻《まき》
しかし
なんで竹光《たけみつ》なんかであの傾奇者達《かぶきものたち》をからかったんで?
ん～
やつらの褌《ふんどし》が気に入《い》らなんだ
え!?

悲運《ひうん》の姫君《ひめぎみ》の巻《まき》

これこそ己《おのれ》の心の様《よう》に輝《かがや》く白であるべきだ!!
たったそれだけの理由《りゆう》で？
あたり前だ!!
慶次《けいじ》は大真面目《おおまじめ》でそう言《い》う。岩兵衛《いわべえ》も女達《おんなたち》も呆《あき》れ返《かえ》って溜息《ためいき》をつくばかりだった。
ふう…

だぼっ
だぼっ
ところでおれの命《いのち》を狙《ねら》って楽しいかね
ヒク…
ドド…
殺《ころ》す奴《やつ》と酒《さけ》を飲《の》む刺客《しかく》がどこにおますかいな
たぷん
ぐっ
ぐっ
ゴクゴク
それはそうだな
あ!?
ぷっはあっ
わいが用があるのはあんたやない
ほんまはおふうや!!

実《じつ》は
おふうは
わしの娘《むすめ》や
わしは
連《つ》れ戻《もど》しに
来《き》ただけや
！
おふうが
お主《ぬし》の
娘《むすめ》!?
そうや
わしの娘《むすめ》を
さらった男が
どういう奴《やつ》か
この眼《め》で確《たし》かめ
たかった
だけや
ドサッ
ぐびっ
……
ヨロ～
お…
おい
また
出直《でなお》して
来《き》ますわ

とっとっと
あ!!
危《あぶ》ない!!
おっとと
ヒョホホホ……
ど…どうやら酔《よ》ったようや
ふら…
あ……あんた
……酒《さけ》
強すぎる……
きゃっ!!

はあ
はあ
はあ
え~~~~っ!!
おふうがこいつの娘《むすめ》!?
が~~っ
うむ……満更《まんざら》嘘《うそ》でもなさそうだが
ぐお~~っ
でも似《に》とらんのお
全然《ぜんぜん》似《に》てまへんな

!!
ガー
ぐぉ～っ
はあ はあ
はあ
お…おふう
丁度《ちょうど》いいところに……
実《じつ》はな
慶次《けいじ》柿《かき》!!
え?
ズイ
慶次《けいじ》
柿《かき》あげる!!

食《た》べて!!
柿《かき》!!
お…
おふう
おまえ まさか
鬼《おに》が連《つ》れに来《く》る
のを予感《よかん》して
いたのか？
びくん
行きとう
ない!!
ここに慶次《けいじ》と
いたい!!
岩兵衛《いわべえ》は
目覚《めざ》めた。

乳《ち》飲《の》み児《ご》が母《はは》を呼《よ》ぶ声のように、おふうの心の叫《さけ》びは岩兵衛《いわべえ》の耳にではなく心に響《ひび》いたのだ。
カッ
岩兵衛《いわべえ》は、もはや慶次《けいじ》のもとからおふうを連《つ》れ去《さ》る気は失《う》せ果《は》てた。
じじ…
その薬草《やくそう》は効《き》くのか？
へい！こいつにかかっちまえばどんな忍《しのび》も落《お》ちるって代物《しろもの》です
此奴《きやつ》の言《い》ってることが嘘《うそ》か真《まこと》かこいつ自身《じしん》に聞くのが一番《ばん》ですよ!!
ガァァァ
ぐおーっ
パタ
パタ
がしっ
七霧《なぎり》の里《さと》の者達《ものたち》は読心術《どくしんじゅつ》に長《た》けていた。それゆえに、逆《ぎゃく》にその心を読ませることなく閉《と》ざし切《き》る術《じゅつ》も心得《こころえ》ていた。
くーっ
スー

おふうを無理《むり》に連《つ》れ去《さ》るとなれば慶次《けいじ》との死闘《しとう》はさけられぬ。岩兵衛《いわべえ》には、その気がない以上《いじょう》すべてを明かすしか手はなかった。
そのために、あえてその心を開《ひら》き捨丸《すてまる》の術《じゅつ》に深《ふか》く深《ふか》く落《お》ちた。
バコオーン
おまえはなんのためにここに来《き》たんだ？
さあすべてを話すのだ
……
む…村長《むらおさ》…わ…わしを…呼《よ》んだ……
岩兵衛《いわべえ》お主《ぬし》おふうを憶《おぼ》えておるか？
へ…へい！もちろん

そのおふうが
今京《きょう》におる
あの傾《かぶ》き者《もの》の
前田慶次《まえだけいじ》とな
おふうを
連《つ》れ戻《もど》して
来《こ》い!!
……
どうした
岩兵衛《いわべえ》?
なぜです
おふうが
さらわれた時《とき》
探《さが》しもしなかった
村長《むらおさ》が いまさら
連《つ》れ戻《もど》せとは

ギョロ
武家同士《ぶけどうし》の争《あらそ》いから帝《みかど》をお守《まも》りするためだ
今や天下《てんか》で秀吉《ひでよし》に臣従《しんじゅう》せぬは東国《とうごく》のみ その雄《ゆう》は北条家《ほうじょうけ》
バキーン
武家同士《ぶけどうし》とは?
豊臣家《とよとみけ》と東国《とうごく》の雄《ゆう》北条家《ほうじょうけ》だ
北条《ほうじょう》は奥羽《おうう》の伊達《だて》とともに 秀吉《ひでよし》や帝《みかど》の力の及《およ》ばぬ王権《おうけん》を東国《とうごく》にうちたてようとしておるのだ!!
そして北条《ほうじょう》はついに その野望《やぼう》の牙《きば》をむいたのだ!!
!!
それは!?

帝《みかど》と豊臣家《とよとみけ》の分断《ぶんだん》!!
!!
秀吉《ひでよし》は帝《みかど》の威光《いこう》を巧《たく》みに利用《りよう》することで諸大名《しょだいみょう》を味方《みかた》に取《と》り込《こ》んできた
その帝《みかど》の信用《しんよう》を失《うしな》えば豊臣家《とよとみけ》の屋台骨《やたいぼね》は揺《ゆ》らぐ
しかしそれとおふうは一体《いったい》どういう関係《かんけい》が
今 帝《みかど》の側近《そっきん》は親豊臣家《しんとよとみけ》の公卿《くぎょう》で固《かた》められている
その筆頭《ひっとう》の公卿《くぎょう》が七霧《なぎり》の女に生ませたのがおふうなのだ!!

!!
……
な…なにィ おふうが 公卿《くぎょう》の娘《むすめ》!!
帝《みかど》の側《そば》に仕《つか》える公卿《くぎょう》がこの里《さと》の女に子を生ませたなどとなればその公卿《くぎょう》は失脚《しっきゃく》しよう
北条《ほうじょう》は そのスキに乗《じょう》じて己《おのれ》の息《いき》のかかった公卿《くぎょう》を帝《みかど》の側《そば》に送り込むつもりなのだ!!
すでに風魔《ふうま》一族《ぞく》がおふうを奪《うば》うべく京《きょう》に向《むか》ったと聞く
これ以上《いじょう》帝《みかど》を武家《ぶけ》たちの野望《やぼう》のために利用《りよう》させることはできぬ!!
お主《ぬし》もおふうを天下《てんか》の曝者《さらしもの》にはしたくあるまい
……
しかしどうしてこの役目《やくめ》この私《わたし》に
隠《かく》すな!
母《はは》と死別《しべつ》した乳飲《ちの》み児《ご》のおふうを育《そだ》てたのはお主《ぬし》!!

そして その母なる女こそ お主《ぬし》が唯一《ゆいいつ》愛《あい》した女では ないか!!
おふう…
ホギャ ホギャ。
おふう よしよし 今 取《と》りかえて やるからな
おふう おまえは母者《ははじゃ》に そっくりじゃ
きっと 美《うつく》しい女《おなご》に なるやろなあ
キャッ
キャッ
お… おふう…
おふう…

おふう
おふう
……
この人がうちを…
す

ス
……
……
……
ス
嘘《うそ》やないん
やな……
この鬼《おに》やさしい
顔してはる…

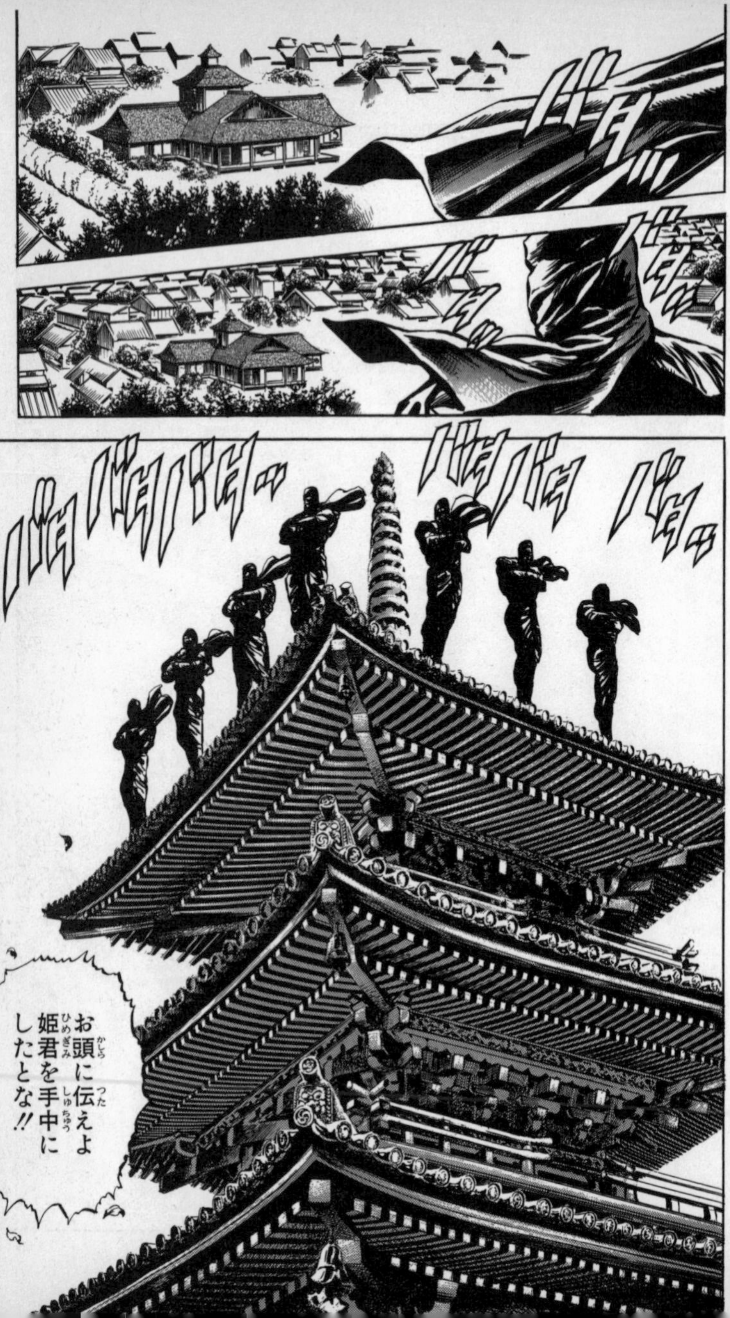
バサッ
バサッ
バサッ
バサ
バサバサッ
バサバサ
バサッ
お頭《かしら》に伝《つた》えよ 姫君《ひめぎみ》を手中《しゅちゅう》に したとな!!

七霧《なぎり》の里《さと》
——そこは、一年中深《ふか》い霧《きり》に包《つつ》まれ、
よそ者《もの》が侵入《しんにゅう》することを厳《きび》しく阻《はば》んでいた。
しかし、まれにその霧《きり》が晴《は》れた時《とき》、里《さと》の空には
七色の大輪《たいりん》の虹《にじ》が輝《かがや》いたという。
ザ!
ザ!
ザ!!
ザ!!
ヌ~…
空《そら》を映《うつ》す心《こころ》!?の巻《まき》
チラ~
おい岩兵衛《いわべえ》ここはなんて霧《きり》が深《ふか》いんだ一寸先《すんさき》も見えやしねえ
この辺《へん》の霧《きり》は二十年に一度《ど》しか晴《は》れまへんがな
ザッ
ザッ

でぇ〜〜
本当《ほんとう》かいな!!
空《そら》を映《うつ》す心《こころ》!の巻《まき》
む!?
きぃ!!
だ…旦那《だんな》
そんな鬼《おに》のいる
ような所《とこ》
行くのやめましょ

うわあっははは～～～っ!!

なにをいうか捨丸《すてまる》
おふうが生まれた
所《とこ》だぞ 一度《ど》ぐらい
見ておこうとは
思わんか
それに
鬼《おに》どもにも
あいさつ
せんとなあ
ええよ
慶次《けいじ》が行く
いうんやから
ふう
ザッ
いきますよ
いきゃいいん
でしょ
いきたくないな
ふふ
さぁて
何《なに》がでてくる
やら
ざっ
ザッ

ぴっ
ん!?
う…
うわあ

だ……旦那《だんな》!!
ああ!!
……は……!!
ま…まさか…
ブッスリ
う…い…いてて…
くん
よくまあこんな仕掛《しか》けを!!
グググ
は!?

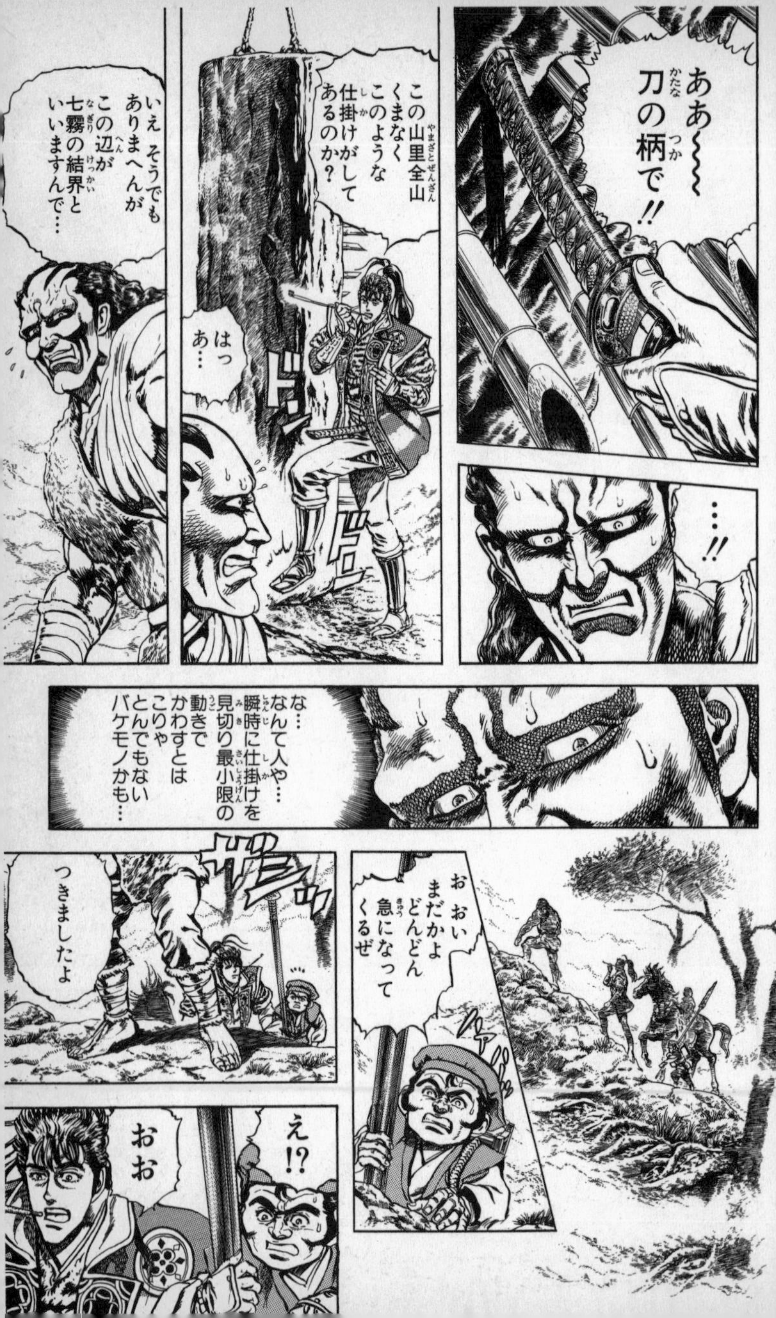
ああ〜〜 刀《かたな》の柄《つか》で!!
この山里全山《やまざとぜんざん》くまなくこのような仕掛《しか》けがしてあるのか?
はっあ…
ドン
ドゴ
いえ そうでもありまへんがこの辺《へん》が七霧《なぎり》の結界《けっかい》といいますんで…
…!!
な…なんて人や…瞬時《しゅんじ》に仕掛《しか》けを見切《みき》り最小限《さいしょうげん》の動《うご》きでかわすとはこりゃとんでもないバケモノかも…
おおい まだかよ どんどん急《きゅう》になってくるぜ
ザシッ
つきましたよ
え!?
おお

こ…こんな
山奥《やまおく》に
平地《へいち》が…
はあ〜
これが
七霧《なぎり》の里《さと》か
おふう
ここが
おまえの生まれた
所《ところ》だ
………

ここが村長《むらおさ》の屋敷《やしき》だ ちょっとまっててくれ
ささっ
あ…
あ…おい ちょっと岩兵衛《いわべえ》!!
……
はは…
ジリ
う…う だ…旦那《だんな》
ジリ
ん!?
だ…旦那《だんな》 わしら 知らないうちに 三途《さんず》の川《かわ》を 渡《わた》っちまった ようですぜ
なんで?
カタ…
だって 鬼《おに》ばっかりじゃ ないですか

そ…それに こいつら 岩兵衛《いわべえ》ほど じゃないが 全員《ぜんいん》おそろしく 強いのが わかりまっせ
ガタガタ ガタ
ふ～～～
とても たちうち できません
勝目《かちめ》 ありま せんよ
キラ キラ
ん～～～ たしかに男共《おとこども》は おそろしい顔 しとるが
は？
女《おなご》は皆《みな》 きれいだぞ!!
だ… 旦那《だんな》～～～
お雪《ゆき》ちゃん!!
え!?

あ…ほんまや
お雪《ゆき》ちゃんに
うりふたつ!!
ん!?
ワイワイ
お雪《ゆき》ちゃんの
生まれ
かわりや!!
わあ!!
バッ
ズイッ
ジリ
ジリ
ゴクッ
ジーーーッ
……
ポ・ポ
パッ
どきっ
おう
そうだ!!
にやっ

バカモノ なんだ あれは!!
わしは おふうを 連《つ》れもどせとはいったが 前田慶次《まえだけいじ》まで 連《つ》れてこいとは いっとらん
……
おふうが 慶次殿《けいじどの》から はなれんのですわ
奴《やつ》の心を 読んでみたのか?
!!
へえ まあ…
どうで あった
……
自分《じぶん》で 確《たし》かめれば よろし
あははは
ヤハハハ
ぷる
ぷる

負《ま》けたら酒《さけ》一升《しょう》一気《いっき》じゃぞ!!
ひーーくーー
あんたにも飲《の》んでもらわねばわしらの顔がたたぬわ!!
ガ
ワァッ
バタン
うわあ
あ〜〜〜
ほ…ほんと強いなあんた…
ドン
さあ一献《いっこん》!!
う〜〜ん
バタン
何代《なんだい》にも渡《わた》りよそ者《もの》を拒《こば》み続《つづ》けた里人達《さとびとたち》が、慶次《けいじ》ともう力競《ちからくら》べに興《きょう》じている。これは正《まさ》に前代未聞《ぜんだいみもん》の珍事《ちんじ》であった。
わっはは

ワイワイ
ぷは～～～
よそ者《もの》でこれ程《ほど》力が強い者《もの》など知らん!!
ハハハ
あんたにはわしらの血《ち》が流《なが》れとるんではないのか!!
ははは
ドン
ひっく
ヌゥ
ん?
あ!?
ギロ
む…村長様《むらおささま》!!
ササッ
ん?
はっ!!
ダッ
ああ
おお!でっかい爺様《じいさま》だ
…
どうだい勝負《しょうぶ》するかい?

な…なんという ことだ!!岩兵衛《いわべえ》といい… 村《むら》の衆《しゅう》といい… なぜ この男に これ程《ほど》 心を 開《ひら》き切《き》るのじゃ…
な… なぜじゃ!?
…!
いいじゃろ 確《たし》かめて くれよう 事《こと》と次第《しだい》では この男には 死《し》んでもらう!!
ばさっ
おお!!
爺様《じいさま》とは おもえぬ 体だな
お相手《あいて》 いたそう
かまわんが
負《ま》けたら 大杯《たいはい》を 乾《ほ》して もらうぞ

ズヴァア…
ぎょろ
村長《むらおさ》は、里《さと》の中で最《もっと》も秀《ひい》でた その能力《ちから》で慶次《けいじ》の心を己《おの》れの心に投影《とうえい》させた。
ザッ
！
うう…
な…なんじゃ!?
これは一体《たい》なんなんだ!!

そ…
空じゃ!!
それになんとも
快《こころよ》い風が吹《ふ》いて
おる…まるで
春の日の
青空じゃ!!
フウ…
おお
岩《いわ》が
われた!!
……
ニヤ
……
そうか
……
……
おまえが
お雪《ゆき》の子
おふうか

ザァァァ
酔《よ》いをさまさにゃ
パシャ!!
ふ～～～
!?
はて?
キラッ
プチュン
はう!!
バシャァ!!
あくあ
……

激流《げきりゅう》の底《そこ》を逆行《ぎゃっこう》する以外《いがい》に道がないとはこの里《さと》ただ事《ごと》ではない!!
よいかわれらを阻《はば》む者《もの》は即刻殺《そっこくころ》せ！必要《ひつよう》とあればこの里《さと》を消《け》せ!!
おふうしばらくは慶次殿《けいじどの》とこの村におるがいい
我《われ》ら七霧《ななぎり》の者《もの》がおまえを守《まも》ってくれよう
フフ。
うちをさらっても何《なん》にもならへんのに
なに!?
なにをしても帝《みかど》はんの心は動《うご》かへん
帝《みかど》はんは秀吉《ひでよし》はんのこと好《す》きなんやもん
ぶっ
ゴバッ
村長《むらおさ》だけが薄々《うすうす》気付《きづ》いていた帝《みかど》の真意《しんい》をおふうは帝《みかど》に会《あ》うことなく感知《かんち》していた。急速《きゅうそく》に代々《だいだい》失《うしな》われつつある一族《ぞく》の異能《いのう》の力を正《まさ》に、おふうに見たのだ!!
この子を敵《てき》に回《まわ》したら…村長《むらおさ》は肚《はら》の底《そこ》から戦慄《せんりつ》した!!

パシァー!!
パシャ‥

が〜〜ッ
ぐ〜〜
ぐあらっ
フゴ〜〜
く〜
か〜〜
ご〜〜
恐怖《きょうふ》の七霧《ななぎり》の巻《まき》
か〜〜
ご〜〜
パチッ

恐怖《きょうふ》の七霧《なぎり》の巻《まき》

……
ポウ…
け…慶次《けいじ》
ボボ…
ざらっ

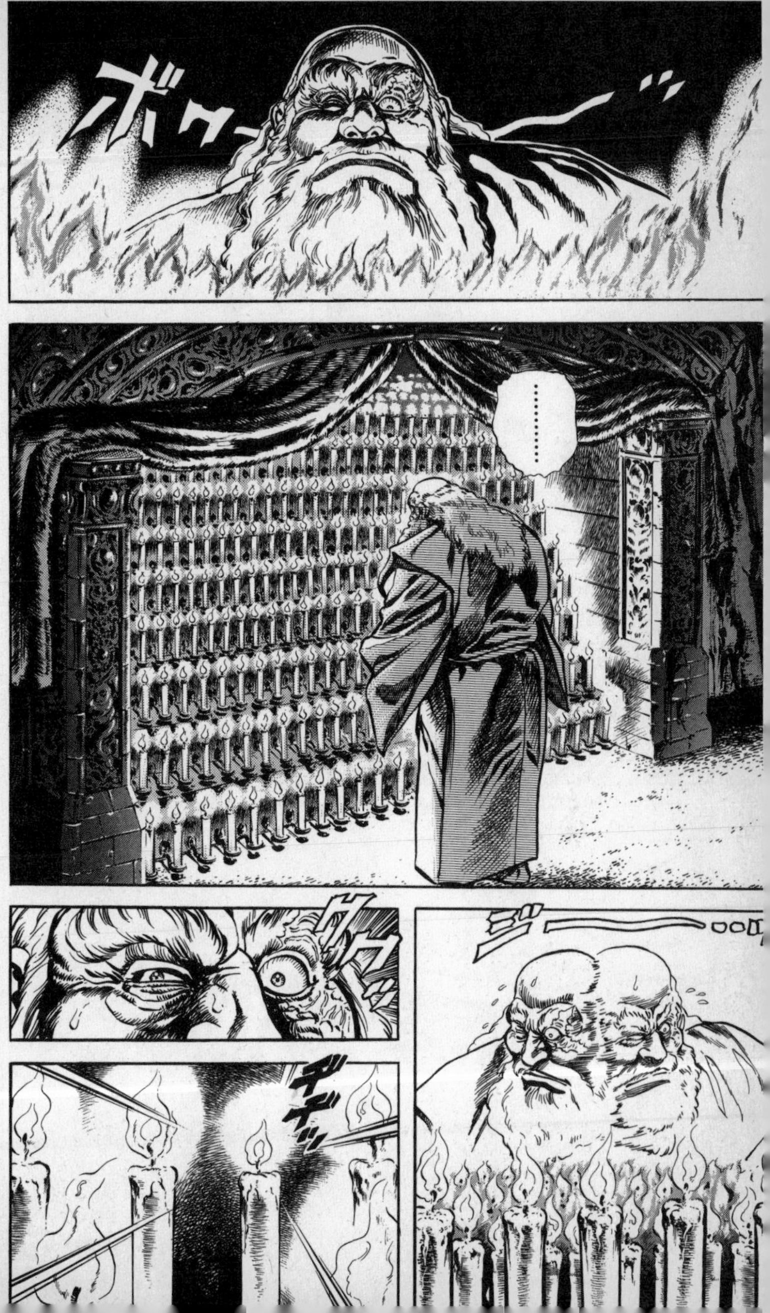
ボウーーッ
……
ゾクッ
ジーーーー
ジジッ

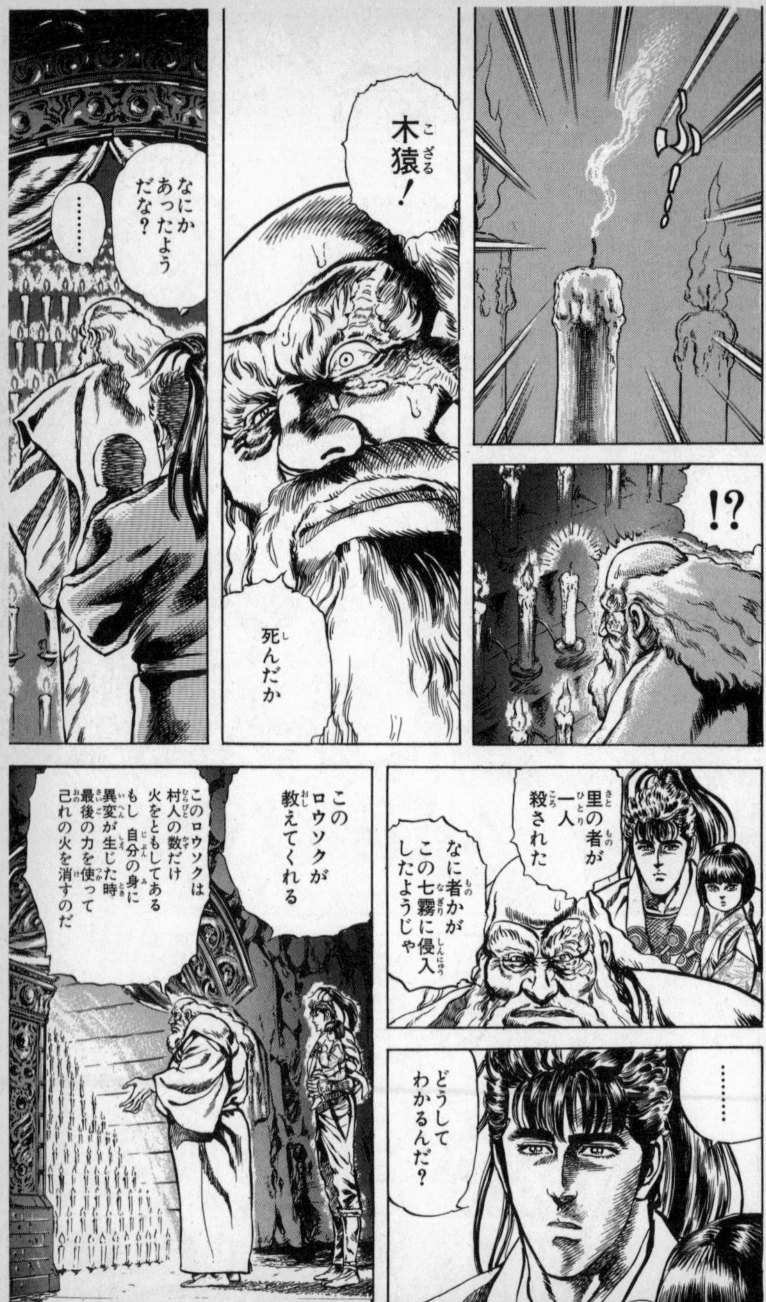
木猿《こざる》!
なにかあったようだな?
……
!?
死《し》んだか
里《さと》の者《もの》が一人《ひとり》殺《ころ》された
なに者《もの》かがこの七霧《なぎり》に侵入《しんにゅう》したようじゃ
……
どうしてわかるんだ?
このロウソクが教《おし》えてくれる
このロウソクは村人《むらびと》の数《かず》だけ火をともしてあるもし自分《じぶん》の身《み》に異変《いへん》が生《しょう》じた時《とき》最後《さいご》の力を使《つか》って己《おの》れの火《け》を消すのだ

そんな力があるのかね?
七霧《なぎり》の者《もの》は生まれつき異能《いのう》の力を天から与《あた》えられた種族《しゅぞく》だった
それが鬼《おに》の子孫《しそん》といわれるゆえんじゃ
代々《だいだい》その血《ち》は薄《うす》まってしまったがこのロウソクを消《け》す力だけはまだ残《のこ》っておるのじゃよ
……
お!?
ギン
ほお…今いびきをかいて寝《ね》ておった者《もの》が
もういくさ人《にん》の顔になっておる!!

ジジジ。
し…しかし 旦那《だんな》!!
おれたち 忍《しの》びでも この結界《けっかい》を 見破《みやぶ》れないのに 一体《いったい》どうやって ぬけてきたんですかね？
す～…
ちらっ
川底《かわぞこ》から だろう
どれほどの 結界《けっかい》でも 自分《じぶん》たちの 逃《に》げ道《みち》は つくっておく ものさ
ははー 川底《かわぞこ》かぁ～!!
でも なぜ そこを見抜《みぬ》いたんですかね？
風魔《ふうま》なら できるさ
やつらも 箱根《はこね》の山に結界《けっかい》を 築《きず》き 巣《す》くう 一族《ぞく》だからな
慶次《けいじ》も また 甲賀《こうが》の忍《しの》びの出《で》で ある。その推察《すいさつ》は 正鵠《せいこく》を射《い》ていた。

バババ
いくぞ!!
ザッ
早まるな!!
まともに戦《たたか》えば無駄《むだ》な死《し》がふえるだけ
まあおれにまかせておけ!
サーー
慶次殿《けいじどの》一体《たい》どうするつもりだ?

にヤ‥
まあ見ててくだされい
来《き》たで！
サッ
スーーッ
スチャッ
フオオン
フオ
フオン
おい捨丸《すてまる》！
へい
やれ!!
へーい

ザァァァ……
ふふ…どうやら結界《けっかい》を抜《ぬ》けたか…
フォオー…ン
フォオーン
ん!? なんの音だ?
たらら〜
バチバチッ
バチッ
らんらん!!
ポイ
ポイ
バシャーン
パシャーン
ゴポポッ
ゴコン
ゴトーン

ドドォン
実際《じっさい》に
爆薬《ばくやく》を
使《つか》って魚を気絶《きぜつ》
させ捕獲《ほかく》する
漁法《ぎょほう》は存在《そんざい》する。
水中での爆音《ばくおん》は空中での
ものより凄《すさ》まじいのだ。
慶次《けいじ》は、その漁法《ぎょほう》を
戦法《せんぽう》としたのだ。
ニヤ
ドボオッ
!!
ドゴオオ
うぐあ

ザパパッ
がぼごぼ
ボゴッ
ああ!!
よし 今だ!!
バッ
ブオッ
パシッパシッ
パッバッパッバッ
う!!
はぁ!!

ドカッ
ガシッ
げっ!!
カッ
う…
うう…
は!?

バシャア
!!
岩兵衛《いわべえ》
その男だけに
しておけ!!
ぐあぁっ
岩兵衛《いわべえ》は
この男の心に
木猿《こざる》を殺《ころ》した
イメージを見た!
そして正確《せいかく》に下手人《げしゅにん》に
報復《ほうふく》したのである!!

慶次殿《けいじどの》!!
な…なにをなさるんじゃ!!
ん〜〜〜
ま…まさかそやつら生きて返《かえ》す気か!?
ああ川に流《なが》すのさ!
ええ〜〜っ!!
バ…バカなそれはどういうこって?
だいたいこいつらのやろうとしていることが気にいらん
おふうをさらって天下《てんか》の曝《さら》し者《もの》にしようなどと
豊臣《とよとみ》と北条《ほうじょう》が喧嘩《けんか》をするのはいいさ おとな同士《どうし》のことだ
だがおとな同士《どうし》の喧嘩《けんか》が子どもをダシにするかねえ
ぷち

ドゥドゥ
こやつらにも曝《さら》し者《もの》になってもらうさ
そりゃどういうこって
こやつ…何をする気か…よ…読めん…
これが傾奇者《かぶきもの》というものか!!
おい岩《いわ》!
ピク
おまえ 人の心を読《よ》むというがどの程度《ていど》読《よ》めるんだ!?
へぇ…まぁ詳《くわ》しくは読めませんが名前くらいはわかります
名前かぁうん それはいいな
……
といってもしゃべる必要《ひつよう》はないんだ
……
……
よし一人《ひとり》ずつ名を教《おし》えてもらおうか
ん!?
この岩兵衛《いわべえ》が読んでくれるからな
だめだ!
こいつ頭の中でいろんな名をならべてやがる

ほおー
さすが風魔《ふうま》だ大《たい》したもんだ!
おまえ
母者《ははじゃ》は好《す》きか?
!?
母者《ははじゃ》はおまえのことをなんと呼《よ》ぶ?
弥太《やた》!
うんっ
くく!!
きたないと思うなよ思うならおのれらの所業《しょぎょう》を呪《のろ》え
サラ
サラ
弥太《やた》…と
はい
お次《つぎ》!!

四《し》条《じょう》河《か》原《わら》
ざわざわ
ざわざわ
おおいみろ!
なんだありゃ!!
ふんどしに名が書いてあるぞ
くく
勘六
与平
弥太

なんだ このザマは
京中《きょうじゅう》に 風魔《ふうま》の恥《はじ》を さらす気か!
さらに 忍《しの》びが己《おの》れの 名を明《あ》かすとは なんたる不覚《ふかく》!!
ザー
ち…違《ちが》う! 七霧《なぎり》の里《さと》の者《もの》は 人の心を読む 恐《おそ》ろしい力を 持《も》っている
決《けっ》して しゃべった わけでは ない!!
…!!
ならば その証《あかし》を みせよ!!
……
がく!
しかと 見とどけた
ス～ッ

黄金《おうごん》の罠《わな》の巻《まき》
京《きょう》の材木商《ざいもくしょう》 伊勢屋《いせや》——
なに? 七霧《ななぎり》の里《さと》を襲《おそ》うと!!
うむ
だが かの里《さと》の者《もの》は 人の心を 読むばかりか 結束《けっそく》も固《かた》く
われら よそ者《もの》では 近寄《ちかよ》ることも できぬ そこで 伊勢屋殿《いせやどの》に 願《ねが》いがある
手前《てまえ》の 情報《じょうほう》によれば 里《さと》によそ者《もの》が 入《はい》りこんでいる
その者《もの》を手なずけ てもらいたい 貴殿《きでん》は帝《みかど》より七霧《なぎり》の 里《さと》へ出入《でい》りを許《ゆる》された 商人《しょうにん》 里《さと》の者《もの》も 気を許《ゆる》そう
この一介《いっかい》の 材木商《ざいもくしょう》になにを せよと?

北条様《ほうじょうさま》がなにゆえ七霧《なぎり》を狙《ねら》うかは聞きますまい
大恩《だいおん》ある北条様《ほうじょうさま》のためですお引きうけしまひょ
コトッ
してその者《もの》の名は？
黄金《おうごん》の罠《わな》の巻《まき》

前田慶次《まえだけいじ》
……!!
ああ あの傾奇者《かぶきもの》の
それなら話は簡単《かんたん》だ……
ん!?
傾奇者《かぶきもの》ってのはようするにうでっぷしがちいとばかり強いだけの
ならず者《もの》
あばれだしたら面倒《めんどう》だが
ああいう見栄《みえ》っぱりのバカはちょっと黄金《おうごん》の臭《にお》いをかがせれば
コロリ
ですがな

七霧《なぎり》の里《さと》――
サラ
サラ。
もともと退屈《たいくつ》がいやで金沢《かなざわ》を出奔《しゅっぽん》した慶次《けいじ》である。
……
狭《せま》い山里《やまざと》に敵《てき》が来るまで待《ま》っているなど、ほとんど拷問《ごうもん》に近かった。
ふわあ〜
は〜〜〜
……
あふあ〜

ふー
はむ…
てんてん
おい 捨丸《すてまる》
酒《さけ》がなくなった 村長《むらおさ》の所《とこ》からもらってこい
あ…
へ…い…
よろしかったら お近付《ちかづ》きに 手前《てまえ》の酒《さけ》を
ん!?
にっこり

ぐびっ
ちびっ
……
とと…
コロッ
これはうまい酒《さけ》だ
ほ〜〜〜……
カラ
ん？
キラッキラッ
き…金《きん》!!
こ……
にっこり
さっどうぞおあがんなさい
はあはは〜
どうですこんな山の中ですと退屈《たいくつ》でしょう
スッ

よろしかったら私《わたし》の庵《いおり》へいらしてくだされ うさ晴《ば》らしでもやりまひょ
遊《あそ》ぶのは人が多いほど楽しゅうおますやろ
は…はあ
それは…ねえ旦那《だんな》
ほなお待《ま》ちしております
……
ははは
ふきっ
あやついい奴《やつ》ですね〜〜
は〜〜 こんな山奥《やまおく》にあんなりっぱな庵《いおり》たてちまって

いやあ！これはこれは！
必《かなら》ずいらして下《くだ》さると思っておりました!!
さっさどうぞ
どうぞお〜〜〜っ!!
ほお〜 これは見事《みごと》な造《つく》りだな
すげ〜〜〜
いえいえ小さすぎておはずかしゅうございますわ
ささおかけになって
サーーッ
ん

おいでやす〜〜
さっ
ほお
ポカ〜ン…
しっかり
おもてなし
するんだよ

ははは!!
う…うまい!
魚は うまいし
姐《あね》さんは
きれいだ!!
ささ
たんと
おあがり
なさい
へい!
へへ…
カチャ
ん!?
う…
また
金《きん》!!
ん!?
こ…
これは!?

お気に召《め》しましたかな
食べきれぬようでしたらどうぞ お持《も》ち帰《かえ》りください
……
い…いいの？
パラッ
それじゃ！
そそくさ
……
ちらっ
ささ
にこー
ガバッ
はぐっはぐっ
ウんぐ。
!!
あ！ここにも
は!!ここにもある!!
ガッガッ
ガツ
ここにも!!
あ……あった～～
!!
キン
黄金《おうごん》の臭《にお》いは鼻《はな》でかぐもんやない
魂《たましい》でかぐんや
そしてその臭《にお》いで魂《たましい》がとろけるんや

……
いやあ こんな うまい物《もの》 食《く》ったこと ない
どうです 旦那《だんな》 料理《りょうり》の味《あじ》は？
いいね
……で
俺達《おれたち》に何《なに》を しろって いうんだい
ぴくっ
なにか 用があるんだろ？
さすがは 前《まえ》田《だ》慶《けい》次《じ》様《さま》
す…
察《さっ》しが およろしい
いやね 実《じつ》は
こいつを ちょっと 七霧《なぎり》の里《さと》の 井戸《いど》に放《ほう》りこんで もらいたい だけなんで
とん

ん!?
毒《どく》か
いえいえ めっそうもない 殺《ころ》そうなんてことは! ちょっとしびれてもらいたいんで
しびれ…?
へい
それに これは二日《ふつか》たたないときまへん だから 誰《だれ》にも旦那《だんな》がやったなんてことは気づかれまへんのや
ほお
だ…旦那《だんな》……
ん?
み…見てくださいよ こ…こんなに
い…いい話じゃあないですかあ!
ボワ~
ふふ
黄金《おうごん》は魔物《まもの》や 誰《だれ》にも頭をさげたことのないお侍《さむらい》はんやお公家《くげ》はんも
こいつの前では頭をさげはる もうこいつはどうしようもない魔力《まりょく》や!
ス-!
キラ キラ
ポン
ですからさからったらあきまへん!!

ふふ
しかも どんな人も 喜《よろこ》ばす！
死人《しにん》さえもな！ わての先代《せんだい》は 死《し》んだ時 金《かね》を借《か》りたまま 返《かえ》さん者《もの》の枕元《まくらもと》に 立ったんや
ぎゃあああ…
そしたら そいつ 驚《おどろ》いて 葬式《そうしき》の日 金《かね》を返《かえ》しに 来《き》よった…
そして その金《かね》を 仏前《ぶつぜん》にそな えたら
なんと死人《しにん》の 先代《せんだい》が 笑《わら》いよった
これは もう
まぎれもない 魔力《まりょく》ですがな

ははは
あはは
わっははは ははは——っ
は—— ははは
はははは
ヒヒヒ あっ! まだある!!
ガツガツ
そう それで いい!
それで いいんだ
それでいいんだ——っ!!
ササッ
ヒッヒヒ フッハハハ
ガバッ
見ろっ!!
だが そんな もんじゃ ないでぇ!!

ドゥアアアア
どうだあ!!
これももっていけ――っ!!
パアアア
おお…
ポロ
これだけの黄金《おうごん》おまえらみた事《こと》ないだろ! やるぞ やるぞ!!
あ〜っ

あ──ははは──!!
ハハッ
ワハハハハ
はははは──
は──っ
ははは!!
は?
フォン

ぶえ!!

ざぱ〜〜っ
あばぶたたすけがぼ…………!!
ブクブク…
ゴボゴボ…
バシャッ
ぶはあ
だ…だれか
この金《かね》を
ブルブル
金《かね》をどかしてくれ
お重《おも》いい〜
ガタ　ガタタ
プルプル
甘《あま》くみたな……
ひがばぼ…
ざばあ

ふむ……
魔《ま》忍《にん》の笑《え》み!!の巻
のう兼続《かねつぐ》
近頃《ちかごろ》
顔を見せぬな
あの男
…ふ
スー

魔忍《まにん》の笑《え》み!! の巻《まき》

あの男は自分自身《じぶんじしん》でも明日《あす》のことはわかっていない
その時々《ときどき》で面白《おもしろ》い方《ほう》にいってしまうのです傾奇者《かぶきもの》の行動《こうどう》は手前《てまえ》どもには読めませんな
キリキリ!!
困《こま》った男だな
ビュン
しかしそれが あの男の魅力《みりょく》なのでしょう考えてもみてください
あの男と一緒《いっしょ》にいると次《つぎ》の瞬間《しゅんかん》に何《なに》が起《お》こるかわからないこれが実《じつ》に楽しい

好《す》きな時に寝《ね》
好《す》きな時に起《お》き
好《す》きなことだけ
して死《し》ぬか…
だが　そう生きる
には天賦《てんぷ》の才《さい》が
必要《ひつよう》だ　中でも
生《い》きぬく才《さい》がな
天《てん》は
不公平《ふこうへい》よ
あやつは
天《てん》に愛《あい》されて
おる
ええ
今頃《いまごろ》
どこで
何《なに》をしている
のか……
あははは
ゾロゾロ
まあ
やだあ
——!!

はっははは
あははは
なにを考えとんのやまったく
刺客《しかく》の雇《やと》った女達《おんなたち》をわざわざ送《おく》りとどけるなんて馬鹿《ばか》げているいつ狙《ねら》われるかもしれんというのに……
女達《おんなたち》は事情《じじょう》を知らんのだ
へっ!!
あの現場《げんば》にいた以上《いじょう》彼女《かのじょ》たちだって口封《くちふう》じの為《ため》狙《ねら》われる可能性《かのうせい》があろう
う!?
旦那《だんな》わしの心を読んだんですか?

ん?
ああ なんとなくな しばらく里《さと》に いたせいかな
な…なんて人や……
だいぶ にぎやかに なってきたな
ええ もう安心《あんしん》ね
ズキ
うむむ
どうした 岩兵衛《いわべえ》
!!
…
たまりま へんな
街《まち》に出ると 人の不平不満《ふへいふまん》の 声があっち こっちで聞こえて 頭が ガンガンする
ははーーん
なるほど 心が読める ってのも 難儀《なんぎ》なもの だな

はははは
あの鬼《おに》は人ゴミが苦手《にがて》じゃそうだ!!
へっ!
笑《わら》いごつちゃないで
うう あの女いい身体《からだ》してんなあ〜〜〜
バカヤロ〜 銭《ぜに》返《かえ》せ 銭《ぜに》や銭《ぜに》〜〜〜!!
あの野郎《やろう》変《へん》な目しおっていてこましたろかい…
どないしよ…約束《やくそく》果《は》たせへん逃《に》げよか…
うう やめてくれ
うちの男寝取《ねと》る気かい承知《しょうち》しいへんえ
スゥーー
う……
は!!
ヒュウウウウ
……

あ…あの男の
心が読めぬ
いや 心が
空《から》っぽだ
そんな馬鹿《ばか》な
岩兵衛《いわべえ》のように
人の心を読むというような
異能《いのう》を授《さず》った人間《にんげん》は知らず
その力に頼《たよ》り切って
しまう。
それゆえに、突如《とつじょ》、心が
読めぬ者《もの》に出会《であ》うなど
考えられぬ事態《じたい》が起《お》こると
それは驚《おどろ》きから恐怖《きょうふ》へと
一気《いっき》に増幅《ぞうふく》されるのだ。
へへへ…
な…
なに者《もの》だ
あやつ…!!
ドン
おい
こらぁ
どこみて
歩いと
るんや
ぐばっ

おっ!?こら!!
ガッ
ズジー
ん
スー
す
お
にやーっ

ぞくん
どきやがれ!!
ド
ズカズカ
き
気味《きみ》の悪《わる》い奴《やつ》だぜ…
…
じーっ
ギョッ
クル
こ…この男
心《こころ》をなくす程《ほど》の修業《しゅぎょう》をなしたのか
ま…まさか
風魔《ふうま》…
しかも
慶次《けいじ》の旦那《だんな》とは全《まった》く違《ちが》う
空白《くうはく》だ!
木枯《こが》らしが吹《ふ》き荒《あ》れて
凍《こお》りつくような冷《つめ》たさだ

ぴこ。。
あはははは
ワハハハハハ
じゃあまたなぁ!!
慶《けい》さんどうもおおきに!
また来《き》ておくれやす!
ふ~
なあんでぇちょっとくらい休んでいきゃいいのに腹《はら》へっちまったよ~~~
ゴ
いて
おい急《いそ》ぐぞおふうが里《さと》で待《ま》ってるんだからな
う~~。

ザッ
ザッ
はあ…
のろ
のろ
おい捨丸《すてまる》グズグズするな
へ――い
フワ
ピクッ
!?
くん
くんくん
おや
くんくん
何《なに》やら香《こう》ばしい香《かお》りがしますね
何《なに》焼《や》いてんだろ
くんくん
ピシッ
今頃《いまごろ》は川の魚がうまいからな
はは〜〜
おっ！いたいたあそこからだったのか――っ!!

……
ふ…
じゃあ
ひと休み
するか
パッ
やた!!
パチ
パチ
ザッ
ザッ
いやあ
いい匂《にお》い
だな～～!!
なあ
おっさん
うまそうだね
わしらに分けて
くれんかな
……
パチ
パキ
ああ…
好《す》きなだけ
喰《く》えばいい
えっ!
ホント!!
そいつは
ありがてえ!!
いや～～
腹《はら》がへって
死《し》にそうだっ
たんだ!!
旦那《だんな》
岩兵衛《いわべえ》
早く早く!!

えへへへ
うまそうな
匂《にお》いだなあ
ザザ
ザザ
ガラ
バラッ
ガララ…
ん!?
ゴロロッ
ガラァ…
!?
ブス…
ブス
どひゃあ~~!!
な…なにイ!!

こ…こいつ人を焼《や》いてる〜〜!!
スルッ
うう…き…きさま
街《まち》ですれちがったときの!!
おまえ何者《なにもの》だ!?
ここで待ち伏《ぶ》せしておったな
にたり

しぇや!!

ドオン
ズザァッ
ドザァッ
捨丸《すてまる》!!
岩兵衛《いわべえ》!!

すーー…
ふたりとも気《き》を失《うしな》っただけよ
これは、中国《ちゅうごく》で言《い》うところの気功法《きこうほう》を使《つか》った術《じゅつ》である。要《よう》するに瞬間催眠術《しゅんかんさいみんじゅつ》の一種《しゅ》である。
一瞬《しゅん》の心《こころ》のスキに一気《いっき》に気《き》をあびせかけるのである。
つまり、男は人を焼《や》くことで
術《じゅつ》を仕《し》かけていたのだ。

大《たい》した男だな わしの術《じゅつ》に眉《まゆ》ひとつ動《うご》かさんとは
岩兵衛《いわべえ》と捨丸《すてまる》は、人が焼《や》かれていたという驚《おどろ》きに一瞬《しゅん》、心が空白《くうはく》となった。そこに気を受《う》けたのである。

そこで焼《や》いているのは さっきの傾奇者《かぶきもの》か
プス
プス
ほお——
街《まち》ですれちがった時に気付《きづ》いておったか……
ふふ そうだ
忍《しのび》は忍《しの》びに忍《しの》んで最後《さいご》には目的《もくてき》を果《は》すもの執念深《しゅうねんぶか》いが身上《しんじょう》
お主《ぬし》…風魔《ふうま》の棟梁《とうりょう》か?
あまりしゃべらん方《ほう》がいいな
そのうち舌《した》も凍《こお》りつかせてしまうことになるぞ!!

ペロ。
……
ツ!!
ふふふ
わしの術《じゅつ》がきかぬとはお前を少々《しょうしょう》みくびっていたようだな
風斎《ふうさい》と月斎《げっさい》の巻《まき》

風《ふう》斎《さい》と月《げつ》斎《さい》の巻《まき》

早く箱根《はこね》の山に帰《かえ》れ
さもなくばことごとく斬り捨《す》てる

ほお〜〜 すでに我《われ》らの正体《しょうたい》を知っているとは
ならば話は早い
七霧《なぎり》から手を引けい!!
豊臣《とよとみ》に恩《おん》がある訳《わけ》でもあるまい!!
恩《おん》はない だがお主《ぬし》らの非道《ひどう》なやり方《かた》が気に入らぬ
ふ
非道《ひどう》は秀吉《ひでよし》よ

東国《とうごく》はもとより北条家《ほうじょうけ》のものなのに秀吉《ひでよし》は臣従《しんじゅう》せよなどとたわ言《ごと》をぬかす思《おも》い上《あが》りにも程《ほど》があるわ!!
事実《じじつ》、この頃《ころ》、秀吉《ひでよし》は北条家《ほうじょうけ》の当主氏直《とうしゅうじなお》あるいは、その父《ちち》の氏政《うじまさ》に再三《さいさん》上洛《じょうらく》を迫《せま》っている。無論《むろん》それは、関東《かんとう》の雄《ゆう》 北条家《ほうじょうけ》が秀吉《ひでよし》に臣従《しんじゅう》の礼《れい》をとるということであった。
そのため、この年天正《てんしょう》16年にその要求《ようきゅう》をかわすため、当主氏直《とうしゅうじなお》の叔父《おじ》氏規《うじのり》を名代《みょうだい》として上洛《じょうらく》させ、要求《ようきゅう》の引《ひ》き延《の》しにかかっている。
北条氏規《ほうじょううじのり》
はっ
はっはっは氏規殿《うじのりどの》 ようまいられた!!
秀吉《ひでよし》は、表向《おもてむ》きの笑顔《えがお》とは裏腹《うらはら》に北条《ほうじょう》が秀吉《ひでよし》をなめている事《こと》を知っていた。

風魔《ふうま》も
落《お》ちたものよ
!!
天下《てんか》の見えぬ
抱《かか》えスッパに
成《な》り果《は》てたか
ふーっ
にいぃ…
スーッ!!
これを
受《う》けとれ
冥土《めいど》への
手土産《てみやげ》だ
スゥ

それ!!
ポォン
カッ
む!?
伊勢屋《いせや》!!
今だ!!
ぎゃっ

しぇや!!
ドオ

ブワァン
ダッ
ズ
!!
二度《ど》もかわすとはな
やはりお前 死人《しびと》か
死人《しびと》に催眠術《さいみんじゅつ》など効《き》くはずがない!!
さすがに風魔《ふうま》の手練《てだれ》である慶次《けいじ》の本質《ほんしつ》を正確《せいかく》に見ぬいた。
慶次《けいじ》は歴戦《れきせん》のいくさ人《にん》である。いくさ場《ば》で死《し》を恐《おそ》れては瞬時《しゅんじ》の判断《はんだん》を誤《あやま》りかえって死《し》を招《まね》く。真《しん》のいくさ人《にん》は、いくさ場《ば》では死人《しびと》と化《か》すのだ。

七霧《なぎり》の者《もの》どもの鮮《あざ》やかな手並《てなみ》やはりお前の力か!!
これで全《すべ》ての謎《なぞ》は解《と》けた
わしがいなくても今の七霧《なぎり》は団結《だんけつ》して結界《けっかい》を築《きず》いている そうは崩《くず》せんぞ
はははは
忘《わす》れるなあ 忍《しのび》とは人外《じんがい》の化生《けしょう》!! 目的《もくてき》のためには手段《しゅだん》を選《えら》ばぬことをな!!

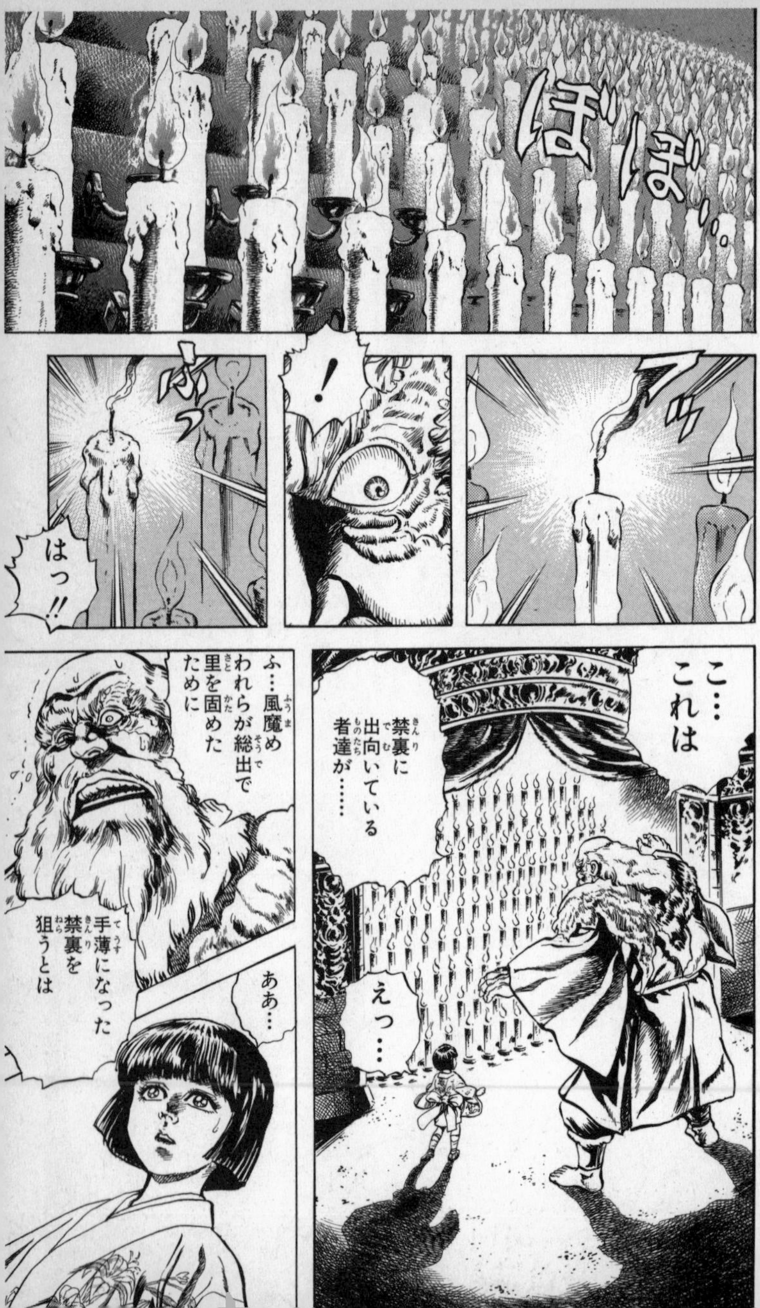
ぼぼ…
フッ
!
ふっ
はっ!!
こ…これは
禁裏《きんり》に出向《でむ》いている者達《ものたち》が……
えっ…
ふ…風魔《ふうま》め われらが総出《そうで》で里《さと》を固《かた》めたために
手薄《てうす》になった禁裏《きんり》を狙《ねら》うとは
ああ…

禁裏《きんり》
ガタ
う…
き…禁裏《きんり》での
このような狼藉《ろうぜき》
神罰《しんばつ》を喰《く》らおうぞ

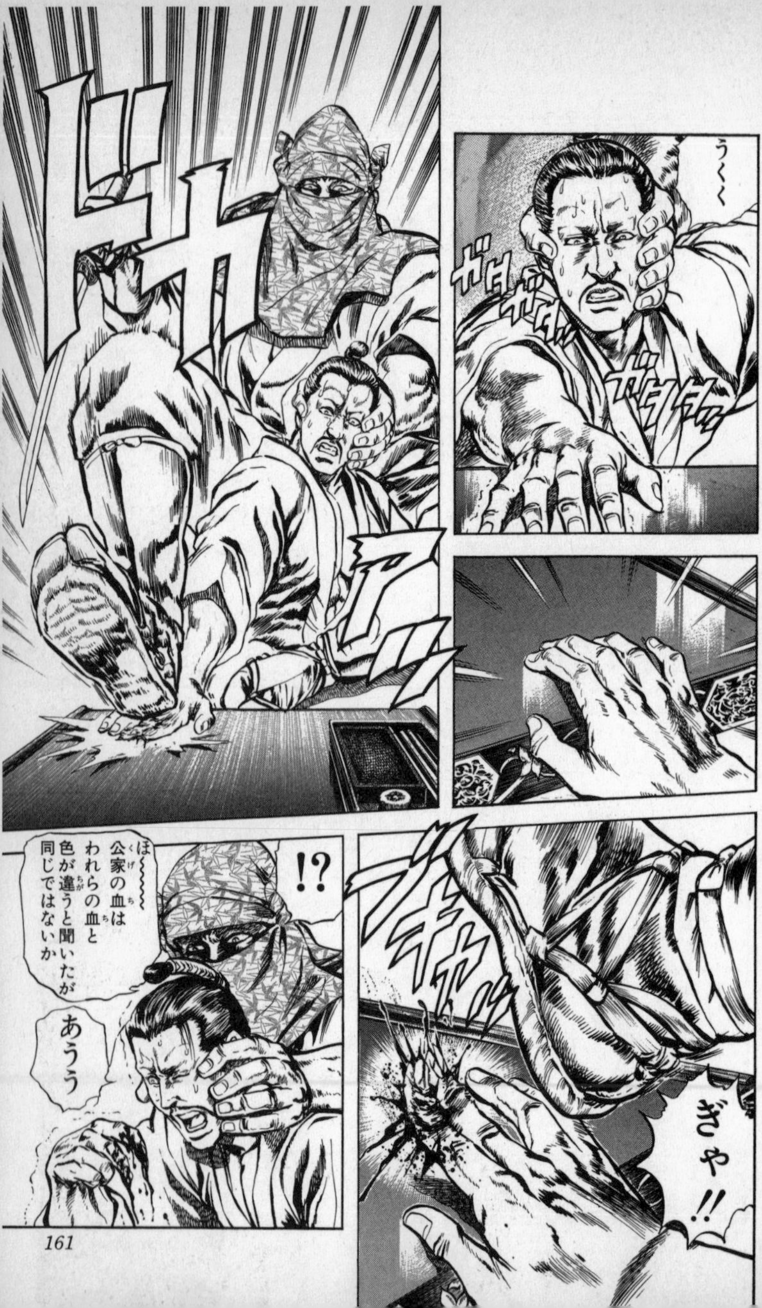
うくく
ガタガタ
ガタガタ
ガタガタ
ドカ
ぎゃ!!
!?
ほ〜〜〜〜 公家《くげ》の血《ち》は われらの血《ち》と 色が違《ちが》うと聞いたが 同じではないか
あうう

な…なんのためにこのような
書け
え
おふう
その砕《くだ》けた指《ゆび》でおふうと書くのだ
う…
ほれ
ブルブル…
そう
それでいいんだ
う…う
おふう

ひい!!
ギラッ
グッ
な…
なんのつもりだ
スチャ…
七霧《なぎり》の男を
殺《ころ》したのは
あんた
なんだよ
ふふ…
え!?
ドスッ
う!!

うう〜
神罰《しんばつ》はあんたが受《う》けるんだよ
ひいーーっ
ブチッ
ホーー!!
ホーーッ
ふふふ

風斎《ふうさい》…
首尾《しゅび》は？
すう〜…
あの前田慶次《まえだけいじ》という男…したたかないくさ人《にん》よ
じゃがあやつが悶《もだ》え死《し》ぬ顔を見ずにはおかぬ
きゃあー!!
だ…
誰《だれ》かあ〜〜〜っ!!
むくり

月斎《げっさい》よ
お前の首尾《しゅび》も
上上《じょうじょう》のよう
だな
ふふふ
ああ
おふうを
渡《わた》さねば公家《くげ》を
一人《ひとり》ずつ殺《ころ》して
いくまでよ

七霧《なぎり》の者《もの》どももはや結界《けっかい》に籠《こも》り続《つづ》けることなどできまいよ
秀吉《ひでよし》めわれらの術《じゅつ》に肝《きも》をつぶそうぞ!!

おお〜〜〜
また消《き》えたぞ!!
禁裏《きんり》の警護《けいご》にあたっている者《もの》どもが次々《つぎつぎ》と!!
おふうの深《ぶか》き闇《やみ》の巻
む…村長《むらおさ》
我々《われわれ》だけで禁裏《きんり》と里《さと》の結界《けっかい》を守《まも》るのは不可能《ふかのう》じゃ!!
う…
うむ…
やっぱりうちには死神《しにがみ》がついとるんや…

おふうの深《ふか》き闇《やみ》の巻《まき》

ズキンズキン
旦那《だんな》！急《いそ》ぎましょう
今頃《いまごろ》きっと風魔《ふうま》の奴《やつ》ら里《さと》に総攻撃《そうこうげき》をかけてる!!
まああわてることもないいさ
ど…どうして？あんなスゴイ忍《しのび》たちですよ！旦那《だんな》だって見たじゃありませんか!!
生き抜く天才の慶次には危機を嗅ぎ分ける独特《どくとく》の臭覚がある。そして、その臭覚が今、風魔忍軍の裏《うら》に潜《ひそ》むなにかを嗅ぎつけ始《はじ》めていた。
ザ…
だからさ
ザ…
え!!

!?
ぴたり
!?
火縄《ひなわ》の匂《にお》いだ
ドオー

ビシュッ
バアッ
ガシッ
あ!!
フワン
!!
バサッ
バサッ
おーー
よしよし

驚《おどろ》かせたか…
許《ゆる》せ
だれだ!!
石田《いしだ》三成《みつなり》である
幼少《ようしょう》の頃《ころ》、秀吉《ひでよし》自身《じしん》に見出《みいだ》され
豊臣政権《とよとみせいけん》の実力者《じつりょくしゃ》の一人《ひとり》として
メキメキ頭角《とうかく》を現《あら》わした男である。
天正《てんしょう》13年には、秀吉《ひでよし》が関白《かんぱく》になった
ことに伴《ともな》い従五位下治部少輔《じゅうごいげじぶしょうゆう》に任官《にんかん》、
堺奉行《さかいぶぎょう》も兼任《けんにん》する事実上《じじつじょう》の
秀吉《ひでよし》の右腕《みぎうで》ともいわれている。

―七霧《なぎり》の里《さと》―
む…村長《むらおさ》!!
決断《けつだん》を!!
このままでは…
このままおふうを里《さと》におけば七霧《なぎり》は崩壊《ほうかい》します!!
お主《ぬし》らわしに
おふうを殺《ころ》せとでも!!
!!
…
耐《た》えがたきことながら
そうじゃあの時もわしは……
ザ――…

ザアアアア
いやです!!
お雪《ゆき》
その子を
その舟で
流《なが》せ!!
きけません!!
ざっ
ぬ〜
よいかお雪《ゆき》
われらは帝《みかど》の影《かげ》だ
そして鬼《おに》の子じゃ
公家《くげ》の血《ち》を
入《い》れれば影《かげ》は
影《かげ》たらず
それが我《われ》らの掟《おきて》じゃ

は!!
き…きけません
なに!!
知っています 私《わたし》の本当《ほんとう》の父親《ちちおや》があなただってこと
母が死《し》ぬときそっと明かしてくれました
!?
私《わたし》は村長《むらおさ》ではなく実《じつ》の父としてのあなたの言葉《ことば》がききたい!!
同じだ!
父である前に私《わたし》は村長《むらおさ》だ
!!

む…
村長《むらおさ》!!
おふうがおりません!!
な…なにィ～!!
それで石田殿《いしだどの》が手前《てまえ》になんの用かな
下郎《げろう》どもに聞かせる話ではない
ザ
まずはこちらに

ザー
なんだ あのやろう いけすかねえ
すちゃ!!
おふうを 手前《てまえ》に いただきたい
この三成《みつなり》の 願《ねが》いである
なぜだ?
にやっ
手前《てまえ》の耳は 豊臣《とよとみ》一《いち》の 地獄耳《じごくみみ》
北条《ほうじょう》の 公家《くげ》どもへの 陰謀《いんぼう》すでに 聞こえておる
表向《おもてむ》きは 臣従《しんじゅう》するかに 装《よそお》っている北条《ほうじょう》の 二枚舌《まいじた》を暴《あば》く! おふうは 生《い》き証人《しょうにん》じゃ

われらにとって残《のこ》るは関東《かんとう》の仕置《しお》きのみ
その二枚舌《まいじた》をもって北条攻《ほうじょうぜ》めの口実《こうじつ》といたす!!
ふ…
手前《てまえ》に協力《きょうりょく》するがよい
御身《おんみ》のためでもある
なんてことを
恐《おそ》るべき三成《みつなり》の自信《じしん》である、そうでなければ、このような策謀《さくぼう》を一介《かい》の浪人《ろうにん》である慶次《けいじ》に明かすはずもない。
しかし、裏《うら》を返《かえ》せば慶次如《けいじごと》きに知られたところで何《なに》ほどのこともないという慶次《けいじ》を人とも思わぬ態度《たいど》であった。
して返答《へんとう》は?

ズルズル
なっ!?
ほじほじっ
グリッ
グッ
ズッポィ
な…
は？
え!!
いや
いくさ働《ばたら》きが
長かったせいか
耳が遠く
なりましてな
はい
もう一度《ど》
む!!
ぷ——
ゲラゲラ
ヒュハハハハハ!!
ヒャホホホホ
んぬぬ

グオオオオオ
カラン
け…
慶次《けいじ》…
ビョ
捨丸《すてまる》…
さようなら
カラーン
カン
ガッ
ゴ

ズオオオオ…
ズザ…

おふう!!
な!!
ゴオオオオ
なんで助《たす》けるんや!
お……
お前を失《うしな》いたくないのだ
勝手《かって》や!!
あんたら勝手《かって》すぎる勝手《かって》に生んで勝手《かって》に捨《す》てる!!
おまえも大《おお》きゅうなればわかることだ!!
……

だから死《し》ぬんや
!?
このままやったらうちは嫌《いや》でも大《おお》きゅうならなあかん
うちは大《おお》きゅうなりとうないんや
村長《むらおさ》は、この時初《はじ》めて、一四、五歳《さい》にはなろうおふうが余《あま》りに幼《おさな》い体つきである事《こと》に気がついた。
そうなのだ!大人《おとな》の世界《せかい》に捨《す》てられたおふうは、大人《おとな》になる事《こと》を拒絶《きょぜつ》し己《おの》れの意志《いし》でその成長《せいちょう》を止《と》めてしまっていたのである!!

そのあまりに深《ふか》い心の傷《きず》を負《お》わせたのは他《ほか》ならぬ村長《むらおさ》なのである。
む…むごいなこのわしは…
あのお雪似《ゆきに》のおまえじゃ…
今ごろは花のような乙女《おとめ》であったものを
ポタッ

7 風斎と月斎の巻(完)

■ジャンプ・コミックス

花の慶次 —雲のかなたに—

7 風斎と月斎の巻

1991年10月15日　第1刷発行
1993年7月15日　第6刷発行

著者　隆慶一郎
©Keiichiro Ryū 1991
原哲夫
©Tetsuo Hara 1991
麻生未央
©Mio Asō 1991

編集　ホーム社

発行人　谷山尚義

発行所　株式会社 集英社
東京都千代田区一ツ橋2丁目5番10号
〒101-50
電話 東京 03（3230）6235（編集）
03（3230）6191（販売）
03（3230）6076（制作）

印刷所　中央精版印刷株式会社

ISBN4-08-871427-X C0279

こちら葛飾区亀有公園前派出所

①～76

大人気発売中　秋本治

週刊少年ジャンプ連載750回突破!!

両さん、ますます笑わせます

まとめて読めば楽しさ倍増

ジャン… 人気…調の…モノ

「完結巻…

赤龍王 全9巻 本宮ひろ志
北斗の拳 全27巻 武論尊 原哲夫
CYBERブルー 全4巻 BOB 二井隆二・原哲夫
聖闘士星矢 全28巻 車田正美
風魔の小次郎 全10巻 車田正美
男坂 全3巻 車田正美
実録! 神輪会 車田正美
キャッツ♥アイ 全18巻 北条司
天使の贈りもの 北条司
銀牙—流れ星銀— 全18巻 高橋よしひろ
激!!極虎一家 全12巻 宮下あきら
キャプテン翼 全37巻 高橋陽一
翔の伝説 全3巻 高橋陽一
100Mジャンパー 高橋陽一
ボクは岬太郎 高橋陽一
バオー来訪者 全2巻 荒木飛呂彦
魔少年ビーティー 荒木飛呂彦
モンスターハンター 飯塚幸弘 平松伸二
きまぐれオレンジ★ロード 全18巻 まつもと泉
グラフィティ まつもと泉
マンモス 全9巻 武論尊 小成たか紀
マッドコマンダー 全4巻 榎居仁 小成たか紀
死神くん 全13巻 えんどコイチ
ミラクルプッツン大冒険 えんどコイチ
ついでにとんちんかん 全18巻 えんどコイチ
神様はサウスポー 全12巻 今泉伸二

CYBORGじいちゃんG 全4巻 土方茂
鉄拳児耕助 全12巻 あだちつよし
THE EDGE 全2巻 長沢克泰
キン肉マン 全36巻 ゆでたまご
蹴撃手マモル 全4巻 ゆでたまご
ゆうれい小僧がやってきた! 全5巻 ゆでたまご
お〜い!!マンガだよ〜ん ゆでたまご
21世紀の流れ星 岸大武郎
空のキャンバス 全7巻 今泉伸二
ホールドアップ★キッズ 全11巻 小谷憲一
ショッキングMOMOKO 小谷憲一
剣客渋井柿之介 高橋ゆたか
ウイングマン 全13巻 桂正和
超機動員ヴァンダー 全2巻 桂正和
プレゼント・フロムLEMON 全2巻 桂正和
アスファルトキッズ 全2巻 清水たかし
勝手にALIVE 全8巻 清水たかし
ゴッドサイダー 全8巻 巻来功士
メタルK 巻来功士
ザ・グリーンアイズ 全3巻 巻来功士
硬派!埼玉レグルス 全9巻 滝直毅 山本コーシロー
ロードランナー 全3巻 次原隆二
隼人18番勝負 全2巻 次原隆二
F-1倶楽部 次原隆二
とびっきり! 全4巻 樹崎聖
ff(フォルテシモ) 樹崎聖

AT Lady! 全2巻 のむら剛
まじだよ!! 全2巻 武論尊 弓月光
激烈!花の親衛隊 全2巻 三木しんいち 谷村ひとし
スーパーマシンRUN 全2巻 渡辺諒
アカテン教師梨本小鉄 全4巻 春日井恵一
房総エクスプレス 全2巻 すずき瞬
県立海空高校野球部員山下たろーくん 全21巻 こせきこうじ
プロレス・スターウォーズ 全11巻 原康史 みのもけんじ
獅子の時代 みのもけんじ
おれが強気 全3巻 みのもけんじ
檄!翔輪高校応援団 全4巻 小成たか紀
スクラム こせきこうじ
Dr.スランプ 全18巻 鳥山明
鳥山明のヘタッピマンガ研究所 鳥山明 さくまあきら
白バイファイター夢之丞変化 秋本治
こちら人情民生課 秋本治
ハイスクール!奇面組 全20巻 新沢基栄
3年奇面組 全6巻 新沢基栄
ボクはしたたか君 全5巻 新沢基栄
ターヘルアナ富子 全2巻 徳弘正也
彼女の魅力は三角筋? 徳弘正也
あすびりんDANDY 全4巻 富沢順
がんばればHERO 坂口いく
狼なんて怖くない!! 富樫義博
GP BOY 全2巻 赤井邦彦 鬼窪浩久
古代さん家の恐竜くん 新沢基栄

てんで性悪キューピッド 全4巻 冨樫義博
七つのマーブル 全4巻 真野稔裕
闇狩人 全6巻 坂口いく
羅威阿伝オーグ 全2巻 土居龍生
不思議ハンター 全2巻 飯塚幸弘 黒岩よしひろ
魔神竜バリオン 黒岩よしひろ
サスケ忍伝 黒岩よしひろ
変幻戦忍アスカ 全2巻 黒岩よしひろ
不思議ハンターSpecial 黒岩よしひろ
優&魅衣 全8巻 あろひろし
ショーリ!! 全2巻 ちば拓
ノーサイド 全2巻 ちば拓
疾風のジーク 杉根英朗
ハードラック 樹崎聖
スーパーボーヤケンちゃん 全2巻 ガモウひろし
舞って!セーラー服騎士 全2巻 有賀照人
酒香☆ドージ 全2巻 梅沢勇人
セコンド 井上泰樹
すてきな愛の物語 滝直毅 小成たか紀
戦国魔闘伝ザンギマル かとうりゅうじ
METAL FINISH 全2巻 宮崎まさる 鶴岡伸寿
THE MOMOTAROH 全10巻 にわのまこと
われらホビーズ ファミコンゼミナール 全4巻 あおきけい
暗号名シードラゴン 全2巻 百里あきら
クライシスダイバー 全2巻 戸館新吾 二枚矢コウ
BADだねヨシオくん! 全5巻 あさだひろゆき